# BILL VAZAN
## OMBRES COSMOLOGIQUES

# BILL VAZAN

OMBRES COSMOLOGIQUES

MUSÉE DU QUÉBEC

Ce catalogue accompagne l'exposition
**Bill Vazan. Ombres cosmologiques**
Présentée au Musée du Québec
du 27 septembre 2001 au 6 janvier 2002.
Commissaire : Michel Martin, conservateur de l'art contemporain

Musée du Québec
Parc des Champs-de-Bataille
Québec (Québec, Canada) G1R 5H3
Tél. : 418 643-2150
www.mdq.org

Directeur général : John R. Porter
Directeur des collections et de la recherche : Yves Lacasse
Directrice des expositions et de l'éducation : Line Ouellet
Directeur de l'administration et des collections : Marc Delaunay

Production : Service de l'édition, Direction de l'administration et des communications
Éditeur délégué : Pierre Murgia
Éditeur délégué adjoint : Louis Gauvin
Révision : Marie-Claire Lemaire
Traduction : Marcia Couëlle
Conception graphique : Paquebot design
Photogravure et impression : Litho Acme Renaissance
Page couverture : Cat. 8 Grille (étendue) / membranes (reproduction partielle)

4ᵉ de couverture : Bill Vazan au sommet
du mont Sinaï ainsi que sur une crête des montagnes de Thèbes avec, au second
plan, Cobra Stand for a Parallel World,
Égypte, 2001. Photos : Jeff C. Hipfner

ISBN : 2-551-21378-9
Dépôt légal – Bibliothèque nationale du Québec, 2001
Bibliothèque nationale du Canada
© Musée du Québec

Imprimé au Québec, Canada

Bill Vazan tient à remercier le Conseil des Arts et des Lettres du Québec pour
son appui financier dans la production du projet photographique Québec-Égypte.

Le Musée du Québec est une société d'État subventionnée par
le ministère de la Culture et des Communications du Québec.

## LES HORIZONS INFINIS DE BILL VAZAN

En 1978, Bill Vazan se distinguait déjà comme l'un des principaux praticiens du Land art au Canada. Il conçoit alors le projet *Pression/Présence* qu'il concrétisera à la fin de l'été de l'année suivante sur la grande pelouse cintrée des plaines d'Abraham, face au Musée du Québec. Avec l'aide de collaborateurs, il recourt à la blancheur éphémère de la craie et du latex pour dessiner une spirale géante sur le gazon, évoquant tout à la fois les forces vives de la nature et la présence de l'homme. Pour inscrire sa création dans la durée, il en réalise une photographie aérienne dont une sérigraphie sera tirée en 1981. Il y a deux ans, constatant l'absence d'un exemplaire de cette œuvre dans les collections de notre institution, j'ai demandé que l'on prenne contact avec l'artiste afin que nous puissions acquérir un tirage photographique de l'œuvre de 1979 (illustration).

Tout au long de sa carrière, Bill Vazan aura su demeurer fidèle à lui-même, approfondissant sans relâche sa quête de nouveaux horizons et enrichissant du même coup son vocabulaire formel. Ainsi la présente exposition initiée par le Musée du Québec fait-elle écho à un fascinant projet photographique conçu et réalisé en l'an 2000. Celui-ci nous entraîne de la côte nord du Québec aux temples de l'Égypte ancienne au gré de ces horizons infinis dont Bill Vazan a le secret. À sa manière, l'artiste porte en lui cet impossible rêve de l'homme, à savoir embrasser la terre dans sa globalité et la marquer de son empreinte. Représenter, saisir, photographier, recomposer des visions fragmentaires en de nouveaux touts, n'est-ce pas une manière de s'approprier et de tenter de comprendre l'immensité du cosmos ?

Bill Vazan, *Pression/Présence*, 1979 (tirage 1999).
Cibachrome, 1/1, 124,7 x 99,2 cm (image). Musée du
Québec, Québec (99.341).

Par le recours au médium photographique, Vazan orchestre le singulier combat de l'éternité et de l'instant, ses photographies constituant des emprunts à cette éternité et aux éléments qui composent notre univers. Alimentée par une quête de savoir et de sens, cette démarche débouche sur une ode aux forces créatrices de la nature et au génie créateur de l'homme. En filigrane, on appréciera aussi chez l'artiste cette profonde sensibilité au patrimoine de l'humanité et ce souci constant de protéger notre environnement naturel. En bref, l'exposition *Bill Vazan. Ombres cosmologiques* constitue une immense invitation au regard et à l'abolition des frontières spatio-temporelles.

Je remercie très sincèrement Bill Vazan pour sa participation enthousiaste à l'élaboration de la présente exposition et je salue du même coup la contribution importante de Michel Martin à sa mise en œuvre. Celui-ci s'est intéressé aussi bien aux dimensions théoriques et conceptuelles du sujet qu'aux préoccupations formelles et esthétiques de l'artiste. À la faveur d'un texte dense et fort éclairant, notre conservateur de l'art contemporain a su mettre en lumière un œuvre se distinguant par sa rigoureuse cohérence et par son pouvoir de fascination. On notera enfin que la présente exposition constitue une nouvelle illustration de notre engagement à diffuser et à mettre en valeur la photographie contemporaine au Québec.

Le directeur général,
JOHN R. PORTER

## **BILL VAZAN** OMBRES COSMOLOGIQUES

*« D'une montagne haute comme celle-ci, se dit-il, j'apercevrai
d'un coup toute la planète et tous les hommes… »*
Antoine de Saint-Exupéry, *Le Petit Prince*

Depuis plus de quarante ans, Bill Vazan porte un regard interrogateur persistant sur les structures formelles de l'univers afin d'y déceler les indices d'un système unitaire cyclique qui peut expliquer la qualité des rapports que l'homme entretient avec le cosmos. Vazan, qui est un des principaux représentants de l'art conceptuel et plus particulièrement de la pratique du Land art au Canada, dessine, peint, sculpte et photographie l'espace planétaire afin de saisir l'énergie qui s'en dégage, que ce soit en fonction de son expansion dans le temps ou eu égard aux gestes posés par l'homme à travers l'histoire des cultures. *A priori*, l'œuvre de cet artiste procède d'une constante réflexion sur l'existence et, en ce sens, la pratique de Vazan vise essentiellement à tramer en séquences, à la fois libres et interactives, les liens et les brisures de temps et d'espace qui justifient l'état de l'univers.

fig. 1 *Le Canada entre parenthèses*
Paul's Bluff, Île-du-Prince-Édouard, 13 août 1969
Photo : Bill Vazan

Lorsqu'en 1969, avec la collaboration de l'artiste Ian Wallace de Vancouver, il met le Canada entre parenthèses – Wallace ouvrant la parenthèse dans le sable à Vancouver alors que Vazan la referme à Paul's Bluff (Île-du-Prince-Édouard) (fig. 1) –, ou qu'à la même époque, il conçoit *Worldline* (1969-1971) – le tracé d'une ligne mondiale qui nécessite la participation de 25 galeries et musées dans 18 pays à travers le monde, chacun marqué d'un angle correspondant à la projection mentale continue de cette ligne physiquement discontinue (fig. 2) –, Bill Vazan s'impose déjà comme un « artiste de la Terre ». Il délimite clairement son champ d'investigation privilégié. Car, même si notre espace planétaire demeure insaisissable visuellement dans sa globalité, l'étendue de sa portée évocatrice ne peut échapper aux appréhensions cognitives de l'artiste dont l'œuvre entier nous en livre les hypothèses.

## Une logique du discours

Parallèlement aux théories scientifiques qui définissent l'univers comme un espace-temps illimité déformé par la matière, Bill Vazan rejette les contraintes limitatives de l'espace euclidien et déjoue le caractère évolutif du temps historique, à la faveur d'une pure vision cosmique. Il est d'ailleurs opportun de souligner d'emblée que les concepts créés par l'artiste découlent largement de son intérêt soutenu pour la science et plus particulièrement pour les recherches menées par les théoriciens de la physique contemporaine. Certaines de ces recherches spéculent sur la possibilité d'un mariage entre la théorie de la relativité générale laquelle décrit la force de gravité et est habituellement

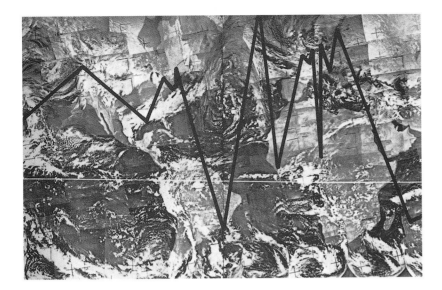

appliquée aux structures les plus larges et les plus massives, comme les étoiles, les galaxies, les trous noirs, voire même l'univers lui-même – et la mécanique quantique qui gouverne l'évolution du monde microscopique, et plus précisément le domaine des particules élémentaires. L'un des arguments qui viennent appuyer l'éventualité d'un rapport harmonieux entre ces deux théories est notamment l'existence de particules invisibles en forme de boucles, les « supercordes » (*superstrings*) (fig. 3) qui évoluent dans l'infiniment petit et qui, dans leur interaction vibratoire modifieraient la structure de base de l'espace-temps, donnant ainsi accès à des dimensions secrètes infimes de l'univers.

Ces considérations sur un espace-temps qui échappe à la perception objective tridimensionnelle alimentent certainement la réflexion de Vazan sur l'infinitude de rapports énergétiques possibles susceptibles de régir la structure topologique de l'univers. Graphiquement, ces rapports se traduisent en configurations, en symboles et en signes qui rendent compte de leurs fluctuations formelles, de leurs parcours ondulatoires et de leurs forces gravitationnelles. On les décrit alors dans le langage scientifique en termes aussi imagés que *singularités*, *membranes* ou encore *mini-univers*.

Appliquée aux montages photographiques de Bill Vazan, cette terminologie conserve toute sa pertinence puisqu'elle s'inscrit logiquement dans la prolongation et l'approfondissement des visions structurelles que l'artiste développe depuis plus de vingt ans dans ses *globes* (cat. 3 et 9), *grilles* (cat. 12, 13, 16, 24 et 26) , *quadrants* (cat. 19 et 20), *superstrings* (fig. 3) et *ovales* (cat. 4, 21, 22 et 25). Dans chacun des cas, il s'agit toujours

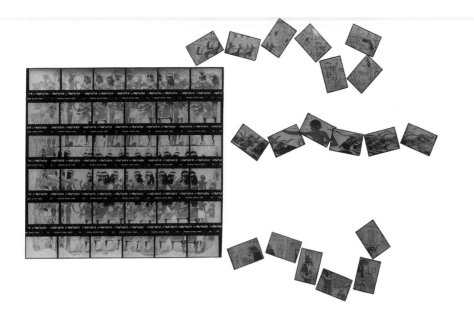

fig. 3 *Grille* et *Supertrings* (détail)
Égypte, décembre 1995

d'images fragmentées composées de la réunion de clichés d'espaces-temps distincts, dont l'ordonnance répond tant au phénomène de persistance rétinienne qu'à la projection mentale des énergies en gravitation autour de la matière/sujet et qui s'imposent comme les métaphores de ces systèmes interactifs qui prétendent à l'existence de micro-univers. Les objets, ainsi dessinés à plat sur la planche d'épreuves-contact du photographe, semblent paradoxalement évoluer dans l'espace sous de multiples facettes, lesquelles correspondent en quelque sorte aux ondulations provoquées par le heurt des pôles nature/culture capables, jusqu'à un certain point, de justifier les visions anthropocentriques de l'artiste.

## La rencontre entre deux mondes

Au cours de l'an 2000, Bill Vazan conçoit un nouveau projet photographique qui met en lumière un rapport dialectique entre ces réalités géographiques et culturelles éloignées que sont le Québec et l'Égypte – la terre d'eau et la terre de sable, l'environnement humide et l'étendue désertique, les traces évidentes de forces naturelles omniprésentes et la mémoire d'une civilisation flamboyante –, entités cosmiques distinctes mais qui, toutes deux et à des degrés divers, alimentent la pensée mythique de l'homme. En effet, dans l'esprit de Vazan, la nature et l'homme demeurent profondément indissociables dans la mesure où le développement cyclique de la première a toujours conditionné l'ensemble des activités du second. L'homme ne maîtrise pas la nature, il l'apprivoise, il en tire des leçons et à travers elle, il tend généralement à accéder à un niveau de communication universelle. Aussi, tel l'archéologue, l'artiste scrute-t-il à distance – la distance réelle parcourue entre les différents sites visités, l'espace de recul entre la scène photographiée et le regard du photographe cheminant par la mécanique de la lentille de l'appareil, de même que l'écart temporel inscrit *de facto* dans la matière/sujet – l'intériorité de ces espaces terrestres pour identifier et isoler les signes de cette possible alliance dualiste. Que ce soit à travers les topographies secrètes et reformulées des paysages québécois ou les images singulièrement déstabilisantes empruntées à l'histoire égyptienne, ces parcours photographiques, tracés quasi simultanément sous l'impulsion d'un même élan créateur, forment un nouveau segment paradigmatique dans l'œuvre de Vazan. En confondant leurs finitudes respectives, tant par le mouvement giratoire saccadé que l'artiste impose à la caméra – le plus souvent une rotation dessinée à partir et autour de lui-même –, que par les configurations qui en résultent au moment du montage, l'artiste oblige le spectateur à appréhender ces lieux physiquement et culturellement connotés comme autant d'univers parallèles qui s'attirent, s'éloignent ou se chevauchent, suggérant de cette manière la formation de faits cosmologiques insoupçonnés.

## Les infinitudes de la photographie

C'est là qu'intervient la magie du médium photographique. De manière générale, la photographie permet essentiellement d'enregistrer les multiples fonctions et éléments qui contribuent à définir en images de nouveaux rapports de temps et d'espace. Plus précisément, « l'image photographique a deux caractéristiques principales : d'une part, elle est index, ce qui signifie qu'avec elle nous passons d'une logique de la mimésis, de l'analogie [...], à une logique de la trace, du contact, de la contiguïté référentielle [...]; d'autre part, elle est inséparable de l'acte qui la fait être, elle est image acte, c'est donc une sorte de coup, de coupe spatiale et temporelle »[2]. Bien qu'investies par la pensée scientifique, les photographies de Bill Vazan procèdent d'abord et avant tout de cet exceptionnel pouvoir de perception sensible aux traces de la mémoire, au « transhistorique »[3], ces traits de passages qui maintiennent en permanence l'équilibre fondamental entre nature et culture. C'est ainsi que, de la photographie à fonction essentiellement documentaire, telle qu'il la pratique dans les années 1970 afin de contrer le caractère éphémère de ses interventions de Land art, Vazan passe à l'exploitation du médium en tant que processus de création capable de soutenir éloquemment sa constante mise en doute de la finalité des rapports de temps et d'espace. Et, à ce propos, il s'inscrit dans la lignée de ceux qui, à travers les cultures successives, ont cherché à décoder les signes terrestres ou célestes pour créer leurs propres représentations mentales du fonctionnement de l'univers qui les entoure. À la manière des anciens Sumériens qui déchiffraient une écriture dans le dessin des pistes d'oiseaux laissées sur le fond séché

fig. 4  *Osiris-Re-dis-membered* (LE PIED)
Un des 33 fragments du projet, Médinet Habou,
Thèbes occidental, Égypte, mai 1984
Photo : Bill Vazan

de l'Euphrate, Vazan s'attarde donc à détecter dans la matière comme dans les récits mythologiques qu'elle a inspirés, et qu'elle inspire encore aujourd'hui, la présence de symboles cosmogoniques qui maintiennent cet état d'incertitude nécessaire au développement de ses constats imagés.

**Ombres cosmologiques**

Lors d'un séjour en Égypte en 1984, Bill Vazan réalise, sur le site des pyramides de Giseh, *Osiris-Re-dis-menbered* (Osiris re-démembré) (fig. 4), un premier projet de Land art consacré à la mémoire d'Osiris, le dieu anthropomorphe assassiné, démembré, puis ressuscité par la piété conjugale d'Isis et qui, en vainquant la mort, a légué à l'Homme l'assurance de la vie éternelle. Faisant ainsi resurgir des entrailles de la terre un des grands mythes qui a façonné l'histoire ancienne de l'humanité – geste qu'il pose d'ailleurs de nouveau à l'occasion de son dernier séjour en Égypte, alors qu'il dessine sur les montagnes de Thèbes de monumentales figures allégoriques à partir de pierres alignées à même le sol sablonneux (cat. 31-33) –, l'artiste fait basculer le temps. Il rétablit la mémoire pour mieux réaffirmer les filiations rituelles entre les domaines du profane et du sacré, du visible et du non-visible. Les figures des morts étant omniprésentes dans l'espace souterrain, protégées par leur tombeau, leur sarcophage, leur linceul, leurs bandelettes, leur esprit habite l'œuvre de la nature et, par extension, celui des hommes qui ne cessent d'y faire référence.

Nous comprenons fort bien la fascination qu'éprouve Bill Vazan face, par exemple, à ces impressionnantes colonnes de calcaire qui constituent en grande partie le paysage des îles de Mingan, ces formations géologiques millénaires qui s'élèvent fièrement sur la côte nord du golfe du Saint-Laurent et qu'on appelle aussi en Europe *pinacles* – terme qui, en architecture gothique, décrit justement une petite pyramide ajourée, ornée de fleurons et servant de couronnement au contrefort. En tant que vestiges érodés de territoires ancestraux, elles semblent en effet cacher dans leurs profils anthropomorphes, zoomorphes et architecturaux des relents d'énergies naturelles et culturelles qui résistent au passage du temps. Certes, l'aspect symbolique de ces structures monolithiques alimente l'imaginaire de l'artiste. Celui-ci le sublime par l'image en intégrant ces fantomatiques édifications de la nature à des topographies extra-ordinaires dont les dessins autorisent d'étroites relations de sens avec le contexte des monumentales constructions funéraires égyptiennes (cat. 8). C'est comme si, hors du temps, sous l'effet du glissement accéléré des plaques tectoniques, il se produisait un rapprochement synchronique entre des particules géographiques et culturelles que normalement, dans notre environnement tridimensionnel, nous percevons presque aux antipodes. Cependant, aussi étonnant que cela puisse paraître, ces mini-univers fantastiques fonctionnent à merveille et ce, probablement grâce au caractère ambivalent de l'expérience mnémonique rattachée à chacune de leurs constituantes. Toutefois, bien que ces dernières se rejoignent dans la pensée magique de Bill Vazan, il faut noter qu'elles demeurent, comme des membranes[4] de réalité autonomes, en suspension les unes par rapport aux autres, soumises à quelque effet de gravitation et de tensions électromagnétiques dont les flux ondulatoires paraissent à la fois servir de fils conducteurs d'idée et de rassembleurs d'image.

Cette manière particulière qu'a donc l'artiste de concevoir notre monde sous de multiples facettes à partir de ses cosmologies bidimensionnelles lui accorde la plus totale liberté dans la manipulation possible des segments d'espace et de temps. Par conséquent, l'ordre hiérarchique illusionniste inhérent à l'omnipotente lecture tridimensionnelle fait alors place au chaos, lequel « n'a pas ici le sens qu'il a en philosophie de désordre absolu, de matière sans forme, de réel d'avant toute structure », mais plutôt celui qui « désigne une forme de déterminisme vérifié par l'expérience et le calcul »[5]. Comme une sorte de libre arbitre engendré par l'équation à l'infini de ces univers parallèles, lesquels une fois révélés, soutiennent une historicité utopique à la mesure du légendaire désir inassouvi qu'éprouve l'être humain d'embrasser l'univers. C'est pourquoi, pour réaliser ses montages photographiques, Bill Vazan doit de toute évidence poursuivre une pensée nomade intuitive qui transgresse les frontières physiques et temporelles convenues. Ce faisant, il est à même de concevoir des topologies combinatoires imaginaires, le plus souvent tributaires de récits mythologiques et, *in extenso*, de rituels évoquant la synergie qui lie l'être humain à l'environnement cosmique.

De la même manière, quand, à travers l'objectif de sa caméra, Bill Vazan déconstruit systématiquement l'aire des chutes Montmorency (cat. 2) ou, devrions-nous dire plus précisément, qu'il la fragmente en trente-six parcelles photographiques autonomes – toujours selon ce mouvement circulaire séquentiel – comme il le fait aussi, par exemple, pour le très imposant paysage de la Vallée des Rois vue du sommet du mont Sinaï (cat. 6), c'est à l'esprit du lieu qu'il s'intéresse, à cet « innommable » qui accorde à un territoire donné son caractère ontologique. « Le lieu unique » dont parle Régis Durand, qui « entraîne notre imagination aux limites du familier et de la raison, là où "l'autre côté" se laisse entrevoir »[6]. En ce sens, formellement, cet ovale et ce globe constituent les palimpsestes hallucinants de structures planétaires tautologiques imaginaires. Tels des miroirs concentriques, ils nous renvoient, d'un ailleurs, les images inédites d'événements topographiques singuliers : de fantastiques formes constellées, qui se détachent sur fond de ciel et semblent contenir dans leurs interstices toute la densité expansive des fractions de temps et d'espaces qui les ont engendrées.

Qu'ils prennent la forme d'énoncés simples ou qu'ils résultent de la juxtaposition de formulations diverses, les montages photographiques de Bill Vazan (maquettes et projections monumentales) témoignent toujours du parfait équilibre entre l'intelligible et le sensible. Ses figures systémiques inspirées du domaine scientifique, *grilles*, *membranes* (cat. 11, 17 et 27), *smaller worlds* (cat. 10, 15 et 23), *singularités* (cat. 18), etc., ont effectivement un sens dans le processus de création dans la mesure où, par le procédé métaphorique, elles favorisent l'expression d'une vision essentiellement humaniste. De cette convergence entre la pensée scientifique et l'intelligence créatrice naissent alors des ensembles figuratifs polysémiques qui, par définition, requièrent une participation active du spectateur forcément interpellé à plus d'un niveau. Ainsi, par exemple, en observant les trois singularités qui forment l'image sym-biotique de la plage de la Grande Île (archipel de Mingan), associée à deux vues du paysage désertique qui entoure les pyramides de Giseh (cat. 1), nous ne pouvons à prime abord qu'être déstabilisés, voire même déconcertés, par le paradoxe géographique. Pourtant, en réunissant par la pensée ces territoires éloignés par de brèves courbures d'espace-temps fondues à l'infini, comme des éclairs de vision issus d'une imagination débridée, Bill Vazan exige de notre part une acuité de perception équivalente à la puissance de cette image dialectique. « L'imagination, la *monteuse*, par excellence, ne démonte la continuité des choses que pour y mieux faire surgir de structurales "affinités électives" »[7]. Rapidement, sur un mode anachronique, il nous faut donc puiser à même notre mémoire et notre expérience pour percevoir ces affinités – que Bill Vazan appelle *ombres cosmologiques* – et les analyser afin d'en comprendre la juste valeur sémiotique.

Des ovales à la gloire du génie constructeur de l'être humain qu'il célèbre habilement à partir d'analogies rythmiques (cat. 5 et 14) jusqu'aux membranes qui transforment les profils épurés des pyramides égyptiennes en « mystérieux » champs de pierres (cat. 28) en passant par la membrane et le demi-ovale qui chantent la tourmente énergique des plans d'eau du Québec (cat. 7), les petits mondes hypothétiques de Bill Vazan contribuent à leur manière, tant par le caractère énigmatique de leurs énoncés que par leur force d'évocation imagière, à esquisser de nouvelles voies qui permettent d'aspirer à cet idéaliste concept totalisant de l'univers.

Michel Martin

Notes

1    Lire notamment à ce propos Michael Duff, « The Theory Formerly Known as Srings », *Scientific American*, vol. 278, n° 2, (février 1998), p. 64-69.

2    Régis Durand, *Le Temps de l'image*, Paris, La Différence, 1995, p. 74.

3    Terme emprunté à Georges Didi-Huberman, *Devant le temps*, Paris, Les Éditions de Minuit, 2000, p. 36.

4    Par référence à la théorie de la physique quantique. Voir à ce sujet Nima Arkani-Hamed, Savas Dimopoulos et Georgi Dvali, « The Universe's Unseen Dimensions », *Scientific American*, vol. 283, n° 2 (août 2000), p. 62-69.

5    Jean-Claude Lemagny, *Présences*, essai du catalogue de l'exposition **La Matière, l'Ombre, la Fiction**, Paris, Nathan / Bibliothèque nationale de France, 1994, n. p.

6    Régis Durand, *op. cit.*, p. 157.

7    Georges Didi-Huberman, *op. cit.*, p. 124 .

ombres cosmologiques

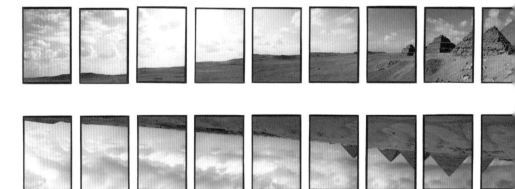

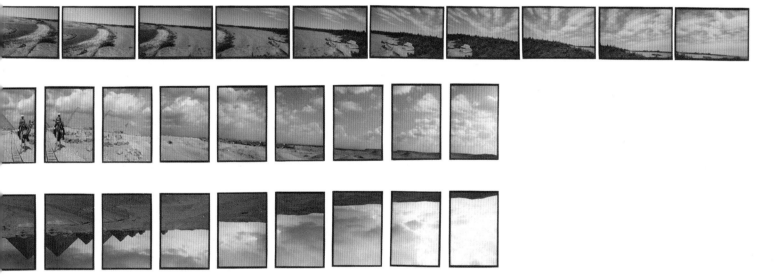

1. **Singularités**

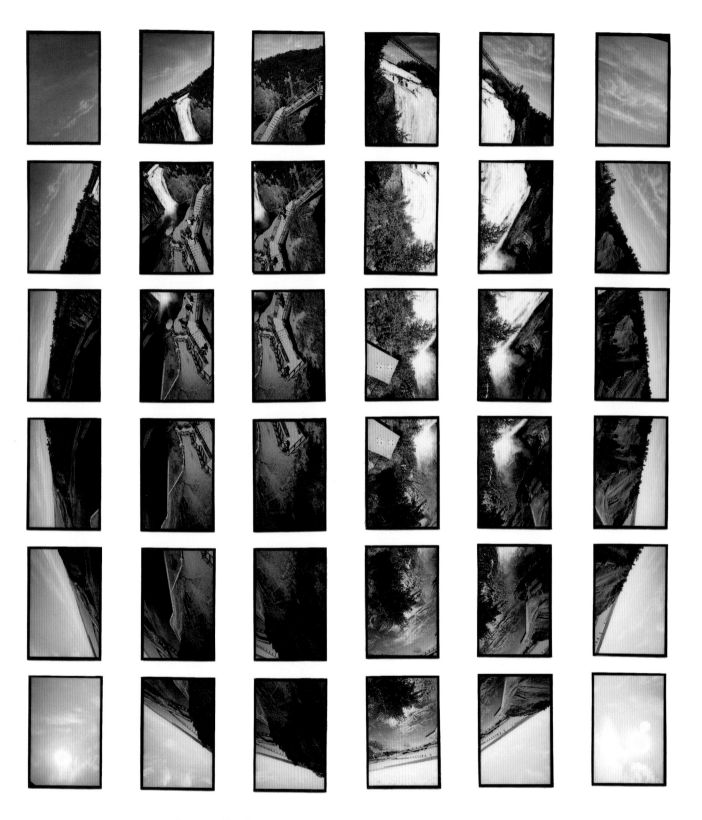

2. **Ovale**

3.    **Globe**

4.      **Ovale (Biker's Rest)**

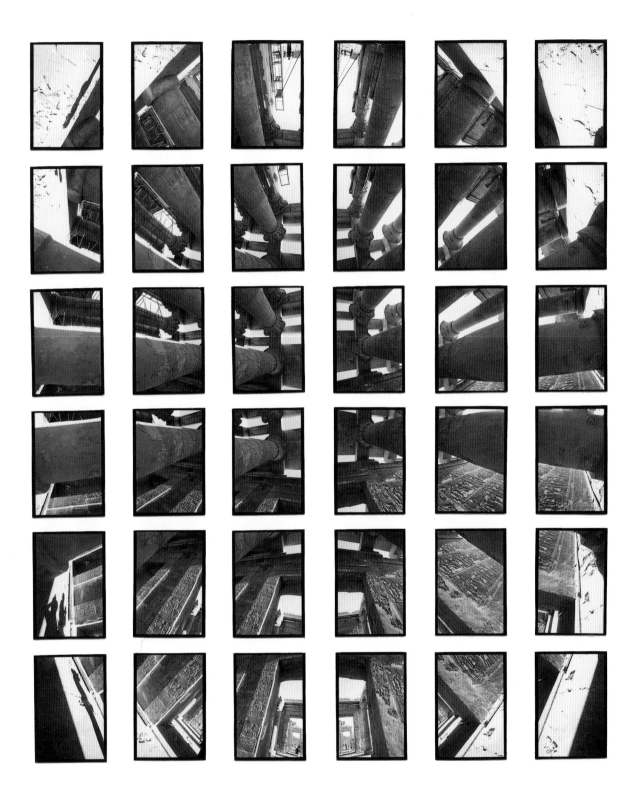

5.     **Ovale**

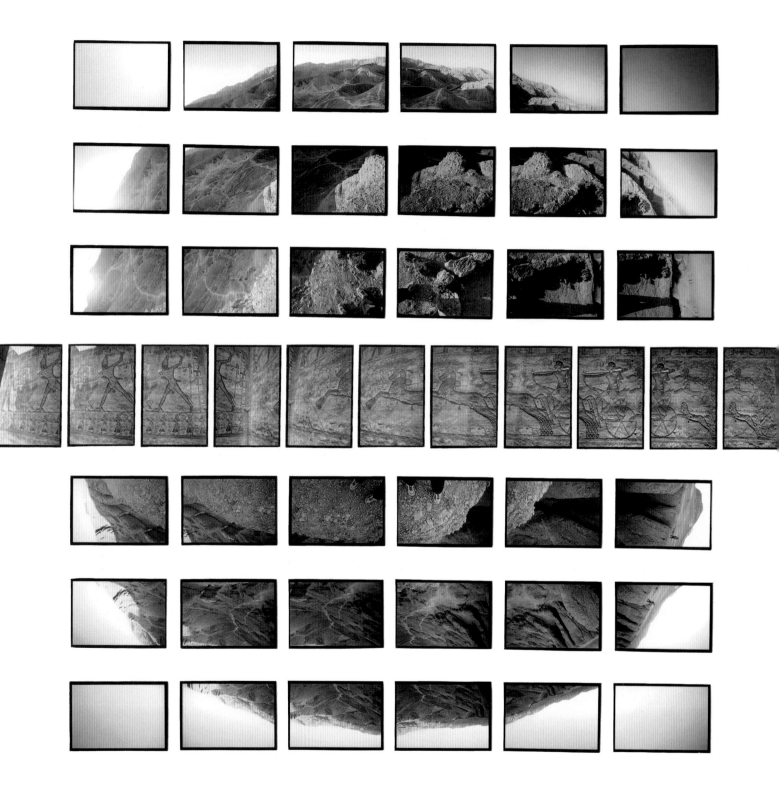

6.      **Ovale (Siting Osiris) / membrane**

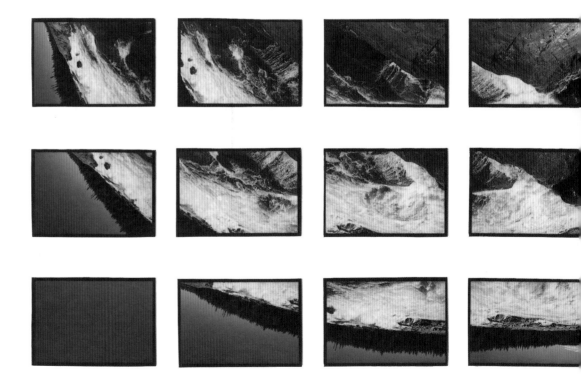

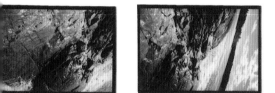

7.     **Membrane / demi-ovale**

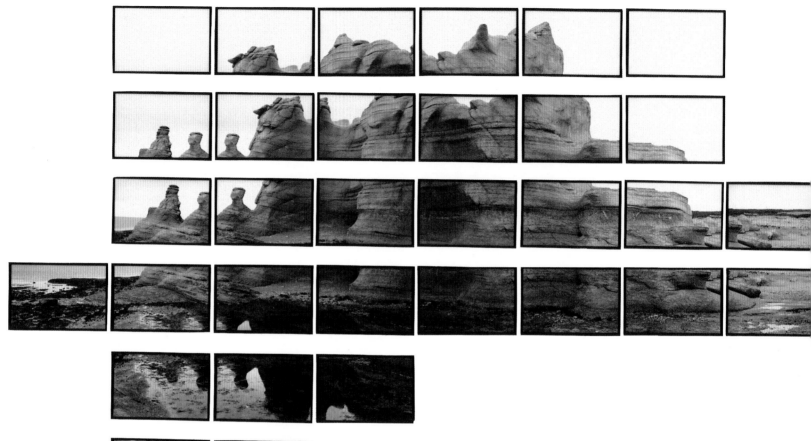

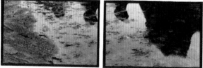

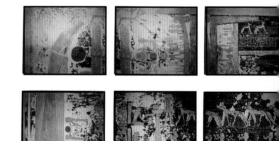

8.  **Grille** (étendue) **/ membranes**

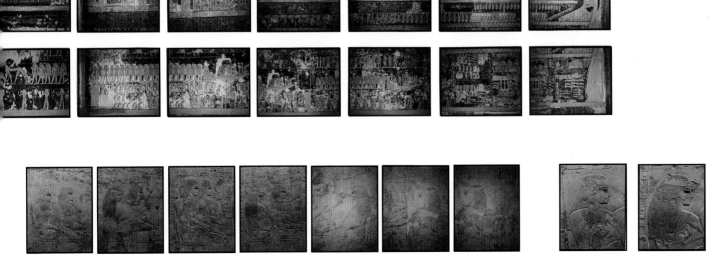

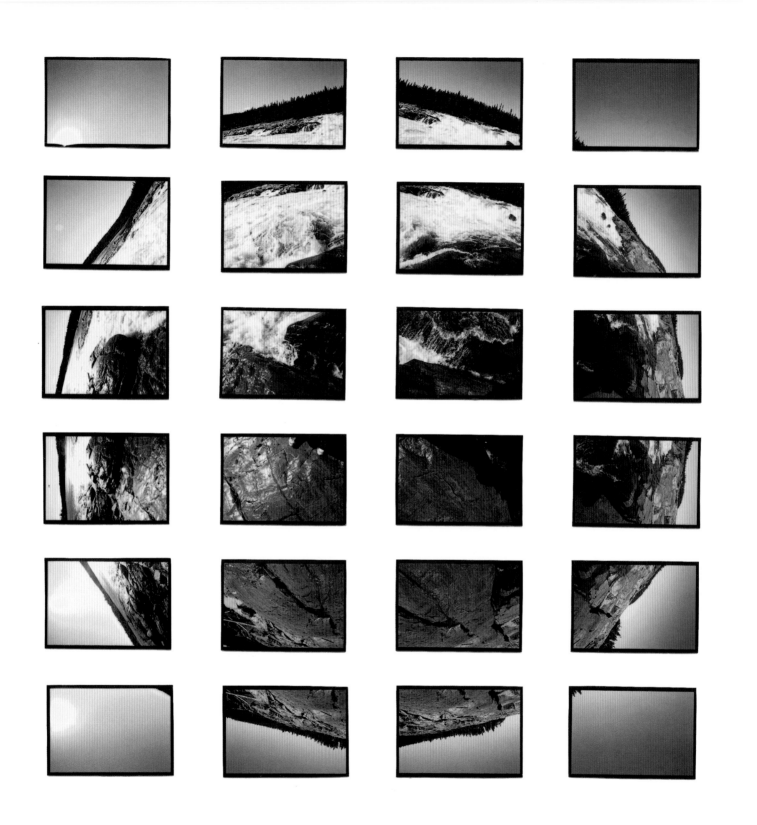

9. **Globe**

10.    **Smaller World**

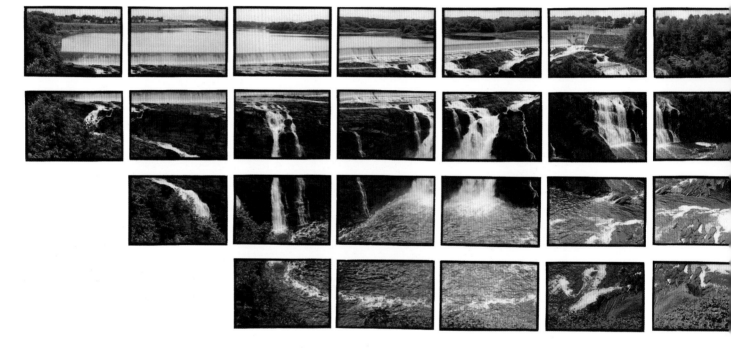

11. **Membrane**

12.    **Grille**

13.     **Grilles**

14.    **Ovale**

15.     **Smaller World**

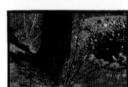
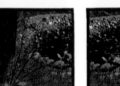

16.    **Grille**

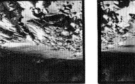

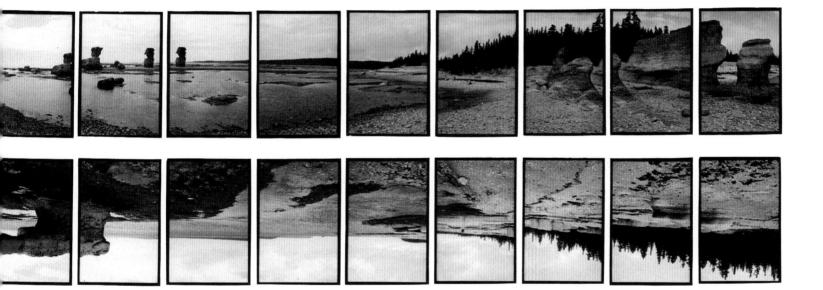

17.   **Membranes**

18.      **Singularités**

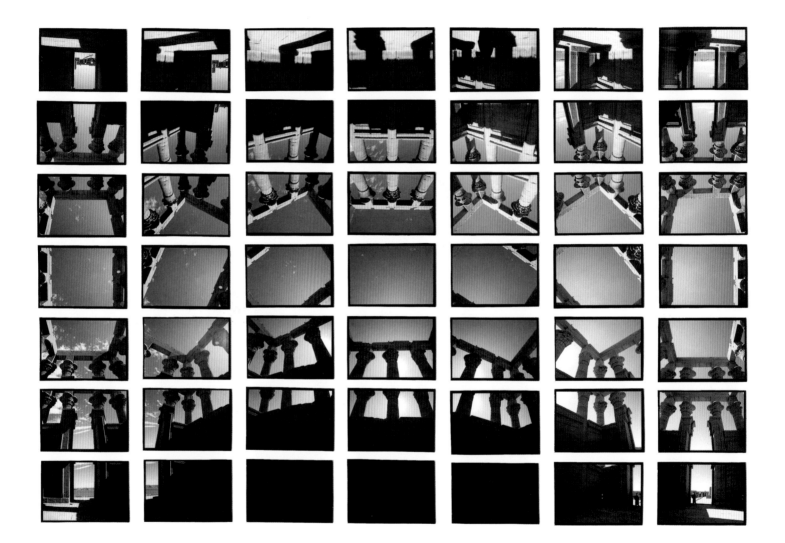

19.     **Quadrant**

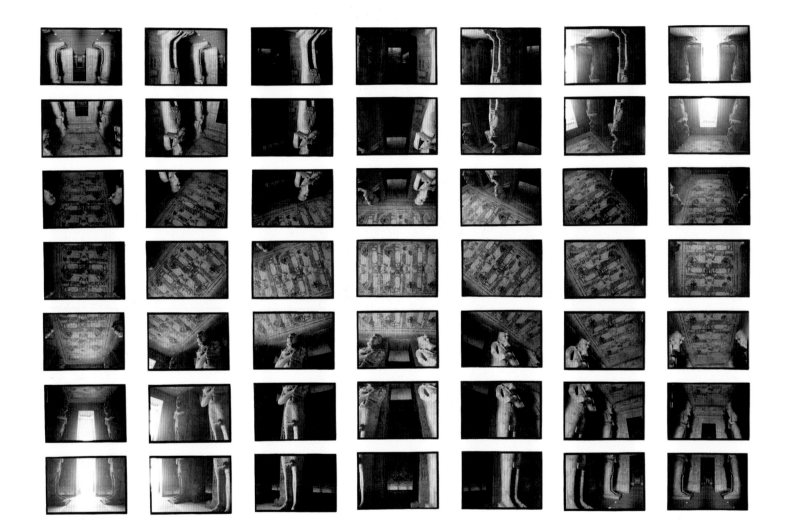

20.      **Quadrant**

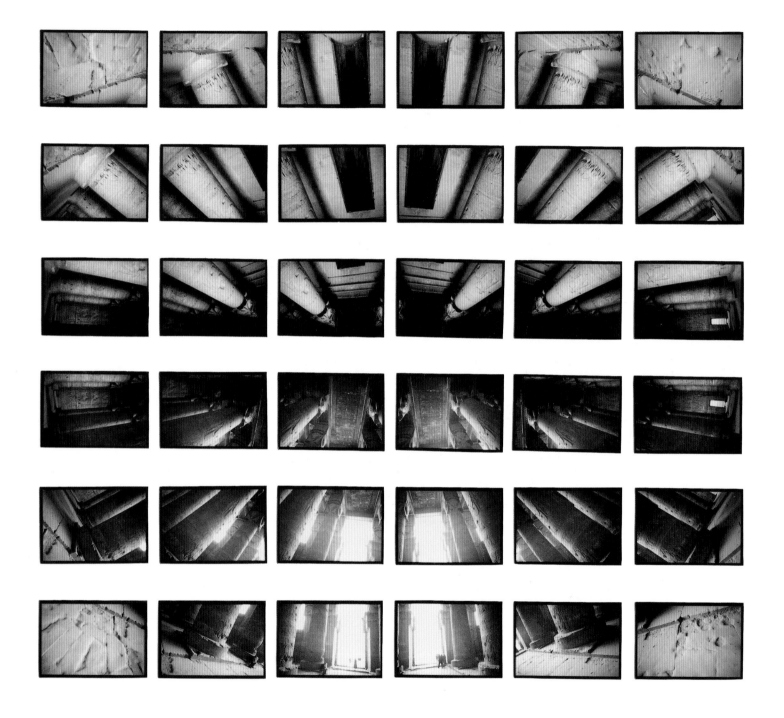

21.    **Ovale**

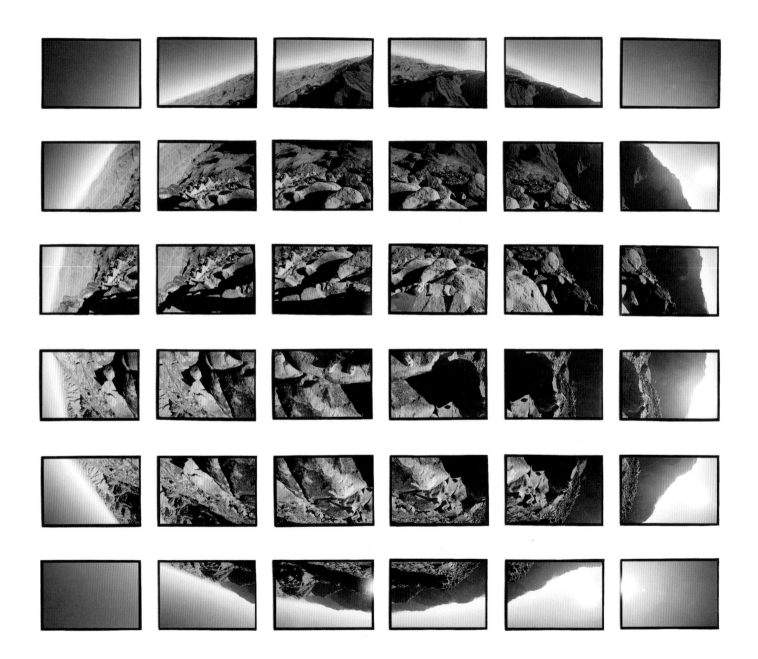

22.   **Ovale**

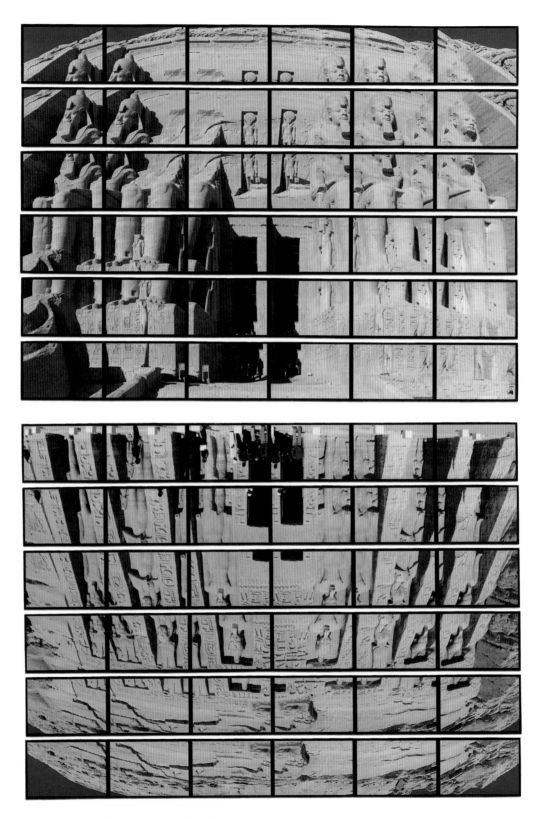

23.    **Smaller World**

24.    **Grille**

25.    **Ovale**

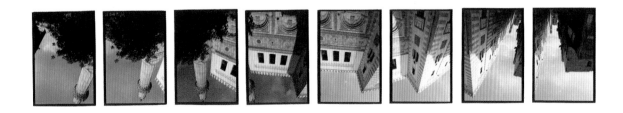

26.     **Grille** (chaos)

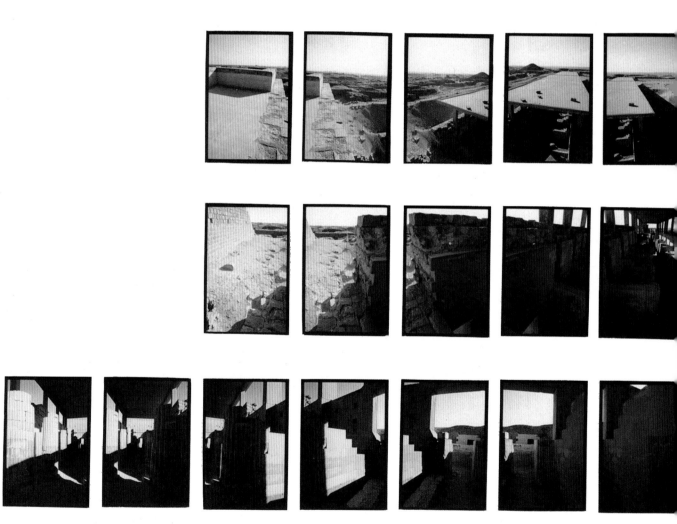

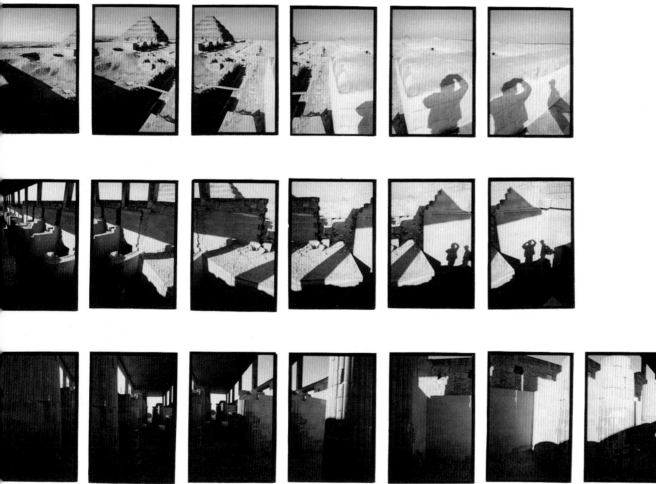

27.     **Membranes** (jeux d'ombres )

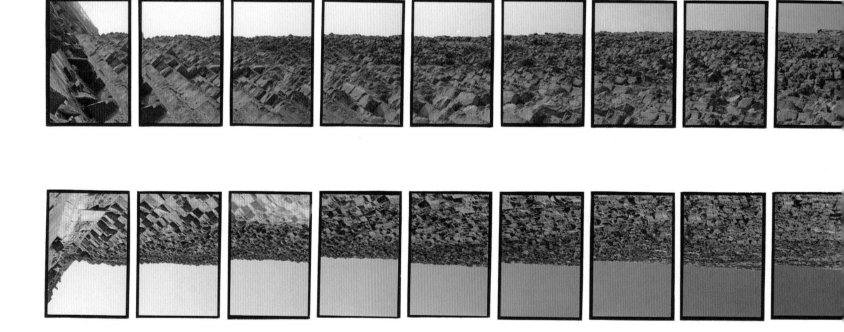

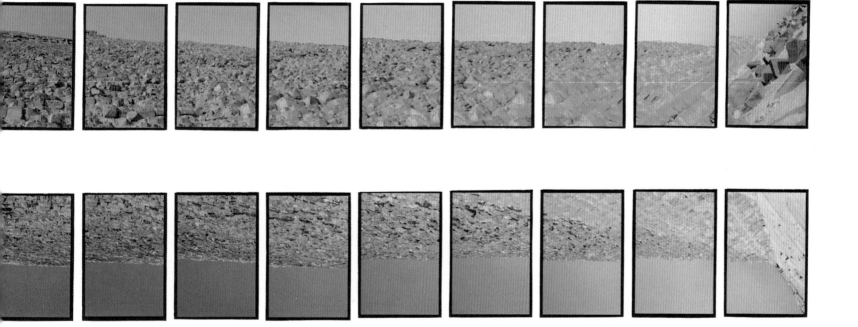

28.    **Membranes**

29.     **Still Stands**

30.    **Stand for a Parallel World**

31.     **Cobra Stand for a Parallel World**

32.    **Extremists Attack?! (Eye of Horus)**

33.    **Scorpion at base of Mount Sinai**

# liste des œuvres

N.B. Toutes les œuvres
sont la propriété de l'artiste.
Les dimensions correspondent
aux œuvres encadrées.

1. **Singularités**
*La rive sud-est de la Grande Île,
archipel de Mingan,
Côte-Nord (Québec), août 2000
Pyramides de Gizeh, Égypte,
décembre 2000*
Épreuves à développement
chromogène
33,75 x 50 cm (20 fois)
50 x 33,75 cm (36 fois)

2. **Ovale**
*Chutes Montmorency,
Beauport (Québec), août 2000*
Épreuves à développement
chromogène
40 x 60 cm (36 fois)

3. **Globe**
*Pont de Québec (Québec), août 2000*
Épreuves à développement
chromogène
50,8 x 40,5 cm

4. **Ovale (Bikers' Rest)**
*Cascades de la rivière Ouareau, près
de Rawdon (Québec), octobre 2000*
Épreuves à développement
chromogène
80 x 100 cm

5. **Ovale**
*Le temple de Kôm Ombo, nord
d'Assouan, Égypte, décembre 2000*
Épreuves à développement
chromogène
100 x 80 cm

6. **Ovale (Siting Osiris) / membrane**
*Vallée des Rois, montagnes
de Thèbes, Égypte, décembre 2000
Bas-relief représentant les exploits
de Ramsès II, temple d'Abou Simbel,
Égypte, décembre 2000*
Épreuves à développement
chromogène
33,75 x 50 cm (58 fois)

7. **Membrane / demi-ovale**
*Chute Manitou, Côte-Nord
(Québec), août 2000
Chutes de la rivière Mingan,
Côte-Nord (Québec), août 2000*
Épreuves à développement
chromogène
33,75 x 50 cm (36 fois)

8. **Grille** (étendue) **/ membranes**
*« Le Château », Grande Île,
archipel de Mingan,
Côte-Nord (Québec), août 2000
Plafond du couloir donnant accès
à la tombe de Ramsès VI, Vallée des
Rois, Thèbes occidental, Égypte,
décembre 2000
Bas-relief de la tombe de Ramosé,
Thèbes occidental, Égypte,
décembre 2000*
Épreuves à développement
chromogène dont 37 à partir
de négatifs noir et blanc
20 x 30 cm (37 fois)
20 x 25 cm (30 fois)

9. **Globe**
*Chutes de la rivière Mingan,
Côte-Nord (Québec), août 2000*
Épreuves à développement
chromogène à partir de négatifs
noir et blanc
50,8 x 40,5 cm

10. **Smaller World**
*Chemin menant au sommet
du cap Trinité, Rivière-Éternité,
Saguenay (Québec), août 2000
Bouleau étranglant un énorme granit,
Saguenay (Québec), août 2000*
Épreuves à développement
chromogène à partir de négatifs
noir et blanc
61 x 48,3 cm

11. **Membrane**
*Chutes de la Chaudière,
Charny (Québec), août 2000*
Épreuves à développement
chromogène
58,5 x 101,6 cm

12. **Grille**
*Quittant Baie-Comeau,
Côte-Nord (Québec), août 2000*
Épreuves à développement
chromogène à partir de négatifs
noir et blanc
61 x 48,3 cm

13. **Grilles**
*Grue au coin des rues Notre-Dame
et Pie IX, Montréal (Québec),
septembre 2000
Élévateurs à grain, le Vieux-Port
de Montréal (Québec),
septembre 2000*
Épreuves à développement
chromogène à partir de négatifs
noir et blanc
61 x 48,3 cm

14. **Ovale**
*Pont Jacques-Cartier, Montréal
(Québec), septembre 2000*
Épreuves à développement
chromogène
100 X 80 cm

15. **Smaller World**
*Île Quarry, archipel de Mingan,
Côte-Nord (Québec), août 2000*
Épreuves à développement
chromogène
61 x 48,3 cm

16. **Grille**
*Cascades de la rivière Ouareau,
près de Rawdon (Québec),
octobre 2000*
Épreuves à développement
chromogène à partir de négatifs
noir et blanc
58,5 x 81,4 cm

17. **Membranes**
*Île Quarry, archipel de Mingan,
Côte-Nord (Québec), août 2000*
Épreuves à développement
chromogène
58,5 x 101,6 cm

18. **Singularités**
*Sphinx, devant les pyramides,
Gizeh, Égypte, décembre 2000
Cimetière musulman, Gizeh,
Égypte. décembre 2000*
Épreuves à développement
chromogène
58,5 x 101,6 cm

19. **Quadrant**
*Dans le kiosque de Trajan,
temple de Philae, île d'Agilkia,
Égypte, décembre 2000*
Épreuves à développement
chromogène
48,3 x 61 cm

20. **Quadrant**
*Grand hall hypostyle,
temple d'Abou Simbel, Égypte
(8 statues de Ramsès II d'une hauteur
de 10 m chacune ; au plafond :
vautours peints représentant Osiris),
décembre 2000*
Épreuves à développement
chromogène à partir de négatifs
noir et blanc
48,3 x 61 cm

21. **Ovale**
*Intérieur du temple d'Hathor,
Dendérah, Égypte, janvier 2001*
Épreuves à développement
chromogène
43,2 x 50,8 cm

22. **Ovale**
*Au sommet du mont Sinaï,
Égypte, le 8 janvier 2001*
Épreuves à développement
chromogène
43,2 x 50,8 cm

23. **Smaller World**
*Temple d'Abou Simbel,
Égypte, décembre 2000
Temple d'Hathor, Dendérah,
Égypte, décembre 2000*
Épreuves à développement
chromogène
61 x 48,3 cm

24. **Grille**
*Murale copte, écritures arabes,
graffiti et dessins de « feluccas »,
tombeaux des nobles, Assouan,
Égypte, décembre 2000*
Épreuves à développement
chromogène à partir de négatifs
noir et blanc
40,5 x 50,8 cm

25. **Ovale**
*Cimetière musulman, Gizeh,
Égypte, décembre 2000*
Épreuves à développement
chromogène
43,2 x 50,8 cm

26. **Grille** (chaos)
*Extérieur et intérieur de l'entrée
de la mosquée d'Al-Azhar,
le Caire, Égypte, décembre 2000*
Épreuves à développement
chromogène à partir de négatifs
noir et blanc
61 x 76,2 cm

27. **Membranes** (jeux d'ombres)
*Hall hypostyle, vue sur la pyramide
à degrés de Djéser, Saqqarah,
Égypte, décembre 2000*
Épreuves à développement
chromogène
58,5 x 81,4 cm

28. **Membranes**
*Pyramide de Chéphren
(façade sud), Gizeh, Égypte,
janvier 2001
Pyramide de Chéops
(façade ouest), Gizeh, Égypte,
janvier 2001*
Épreuves à développement
chromogène
58,5 x 101,6 cm

29. **Still Stands**
*Œuvre de Land art réalisée
sur l'île Quarry, archipel de Mingan,
Côte-Nord (Québec), août 2000*
Ilfochrome
118,7 x 144 cm

30. **Stand for a Parallel World**
*Œuvre de Land art réalisée
sur l'île Quarry, archipel de Mingan,
Côte-Nord (Québec), août 2000*
Ilfochrome
118,7 x 144 cm

31. **Cobra Stand for a Parallel
World**
*Œuvre de Land art réalisée
dans les montagnes de Thèbes,
Égypte, janvier 2001*
Ilfochrome
179 x 138,7 cm

32. **Extremists Attack?!
(Eye of Horus)**
*Œuvre de Land art réalisée
dans les montagnes de Thèbes,
Égypte, janvier 2001*
Impression Lambda
148,7 x 172 cm

33. **Scorpion at base of Mount
Sinai**
*Œuvre de Land art réalisée
en Égypte, janvier 2001*
Impression Lambda
179 x 138,7 cm

# biobibliographie sélective
## selected biobibliography

Né à Toronto, le 18 novembre 1933
Vit et travaille à Montréal depuis 1957

Born in Toronto, November 18 1933
Lives and works in Montreal since 1957

**Expositions individuelles** / Solo Exhibitions

| | |
|---|---|
| 1999 | ***Jumpgates 2000***, Art Gallery of Peterborough |
| 1997 | ***Complicité***: ***Cambodge, 1997***, Espace 502, Montréal |
| 1994 | ***Regard sur l'œuvre photographique 1981-1994. De l'autre côté du miroir,*** Musée d'art de Joliette |
| | ***Sculpture, Paintings and Photos***, Galerie Dresdnere, Toronto |
| 1993 | ***Photowrite***, Kibbutz Art Gallery, Tel-Aviv |
| 1992 | **A *Cosmic Dance***, Agnes Etherington Art Centre, Queen's University, Kingston |
| 1989 | ***Art in the Park-ing Lot***, Galerie Dresdnere, Toronto |
| 1987 | ***Landschemes & Waterscapes***, Galerie d'art du Centre Saidye Bronfman / Gallery of the Saidye Bronfman Centre for the Arts, Montréal |
| 1982 | ***Unfolding & Heaping***, 49ᵉ Parallèle, Centre d'art contemporain canadien / 49th Parallel, Canadian Contemporary Art Centre, New York |
| | ***Recent Works***, Eye-Level Gallery, Halifax |
| | ***Mind Frames***, White Water Gallery, North Bay |
| | ***Firefields***, Struts Gallery, Sackville |
| 1981 | ***Recent Land and Photoworks***, Winnipeg Art Gallery; Norman MacKenzie Art Gallery, Regina; Art Gallery of Windsor |
| 1980 | ***Suites photographiques récentes et œuvres sur le terrain***, Musée d'art contemporain, Montréal (exposition itinérante) |
| 1979 | ***Œuvres et documentation photographique***, La chambre blanche, Québec |
| 1978-80 | ***Recent Photoworks and Videotapes***, Canada House Gallery, London, England; Centre culturel canadien, Bruxelles; Richard Demarco Gallery, Edinburg; Ulster Museum, Belfast; Art Gallery of Hull, England; Art Gallery of Winchester |
| 1977 | ***Visual Spheres: Photo Scannings***, Galerie Gilles Gheerbrant, Montréal |
| | ***Œuvres planétaires***, Galerie Shandar, Paris |
| 1976 | Centre culturel canadien, Paris |
| | ***Scannings***, International Cultural Centre, Antwerp |
| 1975 | ***Obras recientes***, Centro de arte y comunicación, Buenos Aires |
| | Galerie Gilles Gheerbrant, Montréal |
| | ***Trajectoires solaires***, Galerie d'art de l'Université de Sherbrooke |
| 1974 | ***Contacts***, Musée d'art contemporain, Montréal |
| | ***Les Traces***, Musée du Québec, Québec |
| 1972 | ***Topographies***, Musée d'art contemporain, Montréal |
| | ***Champs de Force***, Mezzanine Gallery, Nova Scotia College of Art, Halifax |
| 1970 | ***Maps & Movings***, A Space, Toronto |
| 1969 | ***Taped Sculpture Court***, Art Gallery of Ontario, Toronto |
| 1968 | ***1 + 2 + 3***, Galerie Libre, Montréal |

## Expositions collectives / Group Exhibitions

2001    **Le pouvoir de la réflexion / The Power of Reflexion**, Galerie Liane et Danny Taran du Centre Saydie Bronfman / The Liane and Danny Taran Gallery of the Saydie Bronfman Centre for the Arts, Montréal

2000    **Paysages bricolés**, Musée régional de Rimouski

1999    **Déclics**, Musée d'art contemporain de Montréal et Musée de la civilisation, Québec

       **Making It New! (the big sixties show)**, Art Gallery of Windsor and Glenbow Museum, Calgary

1998    **Impressions de New York Impressions**, Galerie Mistral, Montréal

1995    **Et Ainsi de Suite**, Centre d'exposition Circa et Galerie Christiane Chassay, Montréal

1994    **Approaching Terra/Luna**, Art Gallery of Peterborough

1993    **Différentes natures**, La Défense, Paris

1992    **Beau**, Musée canadien de la photographie contemporaine / Canadian Museum of Contemporary Photography, Ottawa et Centre culturel canadien, Paris

1991    **Pierre Restany Show**, Musée des Jacobins, Morlaix, France

1989    **Montréal sur Papier**, Galerie d'art du Centre Saidye Bronfman / Gallery of the Saydie Bronfman Centre for the Arts, Montréal

1988    **Un Temps 2 Lieux**, Musée du Bas-Saint-Laurent, Rivière-du-Loup et Brouage, France

1987    **Visions of Stonehenge**, Southampton City Art Gallery, England

1986    **L'Art du XXᵉ Siècle et les Mégalithes**, Musée de Préhistoire Miln-Lerouzic, Carnac et Université de Rennes 2, France

       **Du Poétique de la Maquette et de ses Répliques**, Galerie Christiane Chassay, Montréal et Galerie d'art de Matane

1983    **Photographic Sequences**, Art Gallery of Peterborough

1981    **Montréal**, Alberta College of Art Gallery, Calgary

1980    **Reasonned Space**, Center for Creative Photography, University of Arizona, Tucson

1979    **20 x 20: Italia/Canada**, Studio Luca Palazzoli et Galleria Blu, Milan

1978    **The Winnipeg Perspective 1978**, The Winnipeg Art Gallery

       **Compass: Montreal**, Harbourfront, Toronto

1977    **Gheerbrant-Isaacs: Five Montreal Artists: Boogaerts Horvat Palumbo Vazan Vilder,** The Isaacs Gallery, Toronto

       **Visual Poetics**, Museu de Arte Contemporanea da Universidade de Sao Paulo

       **Montréal maintenant**, London Art Museum, London, England

       **03.23.03**, Rencontres internationales d'art contemporain, Montréal

1976    **Forum '76**, Musée des beaux-arts de Montréal

       **Corridart**, Programme Arts et Culture du comité organisateur des Jeux olympiques de Montréal

1975    **Québec 75/Arts**, Musée d'art contemporain, Montréal

       **Camerart**, Galerie Optica, Montréal (exposition itinérante)

1974    **Périphéries**, Musée d'art contemporain, Montréal

1973    **Six Conceptual Artists**, Sao Paulo Contemporary Art Museum

1971    **45º 30' N – 73º 36' W**, Galerie d'art Sir George Williams de l'Université Concordia / Sir George Williams Art Gallery, Concordia University et Galerie d'art du Centre Saidye Bronfman / Gallery of the Saidye Bronfman Centre for the Arts, Montréal

       **Pluriel '71**, Musée du Québec, Québec

       **VIIIᵉᵐᵉ Biennale de Paris**, Paris

1970    **Survey 70 Sondage Realism(e)s**, Musée des beaux-arts de Montréal et Art Gallery of Ontario, Toronto

1969    **Sondage '69**, Musée des beaux-arts de Montréal

       **Photo Show**, Sub Gallery, University of British Colombia, Vancouver

**Projets de Land art** / Land Art Projects

| | |
|---|---|
| 2000 | ***Two Tattoos***, Cataraqui Conservation Authority, Kingston |
| 1999 | ***Esprits Littoraux***, Colombie-Britannique, Alaska, Yukon, Territoires du Nord-Ouest |
| 1998 | ***Pictouglyph***, New Glasgow, Nouvelle-Écosse |
| 1997 | ***Socle Circulaire***, Gotland, Suède |
| 1996 | ***Socle pour un Monde Parallèle***, Phnom Penh, Cambodge |
| 1994 | ***Fish Walk***, Art Gallery of Peterborough |
| 1993 | ***Mag Wheel # 3***, Utah, Nevada |
| 1991 | ***Batteurs***, Aoufous, Maroc |
| 1990 | ***Lemberk Walk,*** Lemberk, Tchécoslovaquie |
| | ***Tendril***, Détroit de Belle-Isle, Terre-Neuve |
| 1989 | ***Swoop***, Tillamook, Oregon |
| 1987 | ***Tire Track***, Sherbrooke |
| 1984-86 | 15 projets sur les plaines de Nasca, Pérou |
| 1985 | ***Gardien de Bouddha***, Fuji, Kyoto et Nara, Japon |
| 1984 | ***Osiris Re-dis-membered***, Égypte |
| | ***La Dorsale Atlantique***, Saint-Malo, France et Lévis (Québec) |
| 1983 | ***La Grande Tortue***, Université du Québec à Chicoutimi |
| 1982 | ***Harvest Goddess Afire***, Struts Gallery et Mont-Allison University, Sackville |
| 1981 | ***Moraine Beltings***, Alberta College of Art, Calgary |
| | ***Wavings***, Grange Park, Toronto |
| 1979 | ***Pression/Présence***, Plaines d'Abraham, Québec |
| 1976 | ***Indices migratoires***, *Artpark*, Lewiston, New York |
| 1971 | ***Worldline / Ligne mondiale***, 25 endroits dans 18 pays |
| 1970 | ***Trans-Canada Line***, 8 endroits de Vancouver à St. John's (Terre-Neuve) |
| 1969 | ***Canada entre parenthèses***, English Bay, Vancouver et Paul's Bluff (Île-du-Prince-Édouard) |
| 1967 | ***Sand Imprints***, Wells, Maine |
| 1963 | ***Rock Alignements and Pilings***, Saint-Jean-de-Matha (Québec) |
| 1957 | ***Island Raft Project***, Montréal |

# bibliographie sélective
selected bibliography

Grande, John K., *Bill Vazan: Jumpgates, an overview of photoworks by Bill Vazan 1981-1995*, Peterborough, The Art Gallery of Peterborough, 1996, 96 p.

Hakim, Mona, « Carnet de voyages », *CV Photo*, n° 30 (printemps 1995), pp. 14-23 et p. 32.

Vigneault, Louise, « Bill Vazan, Musée d'art de Joliette, 8 mai-4 septembre 1994 », *Parachute*, n° 77 (janvier-mars, 1995), pp. 35-36.

Campbell, James D., *Bill Vazan: A Cosmic Dance, thunderstones, were-rocks and shamanic drawings, 1987-1992*, (cat. d'exposition) Kingston, Agnes Etherington Art Centre, Queen's University, 1993, 68 p.

Campbell, James D. « Introduction to the Cosmogony », essai au catalogue *Bill Vazan: Art in the Park-ing Lot*, Toronto, Galerie Dresdnere, 1989, [16] p.

Arrouye, Jean, « Un Temps –2 lieux », *Parachute*, n° 52 (septembre-novembre 1988), pp. 49-50.

— , *Bill Vazan: Landschemes & Waterscapes, œuvres récentes, 1982 – 1987*, (cat. d'exposition) Montréal, Centre Saidye Bronfman, 1987, 64 p.

St-Pierre, Gaston, « Dans la mesure du comparable, cf. maquette », essai au catalogue *Du Poétique de la Maquette et de ses Répliques*, Montréal, Galerie Christiane Chassay, 1986.

Burnett, David et Pierre Landry, *Bill Vazan: Ghostings, early projects and drawings*, Montréal, Centre d'information Artexte, 1985, 151 p.

Boyer, Gilbert, « Bill Vazan de la mémoire à l'acte du mythe », *Cahiers des arts visuels du Québec*, n° 25 (printemps 1985), pp. 34-35.

Lelarge, Isabelle, « Vazan, communicateur de mystères oubliés », *Vie des Arts*, n° 117 (décembre 1984-février 1985), pp. 38-41

Poissant, Louise, « Bill Vazan – Lévis, Québec, juillet à octobre 1984, Saint-Malo, France, juin à mai 1985 », *Vanguard*, vol. 13, n° 9 (November 1984), pp. 30-32.

Nemiroff, Diana, « Bill Vazan – Unfolding and Heaping, March 20-April 17, 1982 », New York, 49ᵉ Parallèle, Centre d'art contemporain canadien / 49th Parallel, Centre for Contemporary Canadian Art, 1982.

Nemiroff, Diana, « Les Planètes de Vazan », *Vie des Arts*, n° 95 (été 1979), pp. 22-24.

—, *Bill Vazan*, (cat. d'exposition) Paris, Centre culturel canadien, 1976, 12 p.

—, *Bill Vazan: obras recientes, noviembre 12-28 1975*, (cat. d'exposition) CAYC, Centro de Arte y Communicación de Buenos Aires, 1975, 40 p.

Heyer, Paul et William Vazan, « Conceptual Art: transformation of natural and cultural environments », *Leonardo*, vol. 7, Pergamon Press, 1974, pp. 201-205.

—, *Bill Vazan: Activities*, (cat. d'exposition) Downsview, Art Gallery of York University, 1974, [16] p.

—, *Bill Vazan*, (cat. d'exposition) Québec, Musée du Québec, 1974, 26 p.

Vazan, Bill, *Contacts (1971-1973)*, Montréal, William Vazan, 1973, [108] p.

Vazan, Bill, *Worldline, 1969-71 | Ligne mondiale 1969-71*, Montréal, William Vazan, 1971, [104] p.

## **BILL VAZAN** COSMOLOGICAL SHADOWS

*"From a mountain as high as this one,"* he said to himself, *"I shall be able to see the whole planet at one glance, and all the people..."*
Antoine de Saint-Exupéry, *The Little Prince*

For more than four decades, Bill Vazan has been bringing his persistent, probing gaze to bear upon the formal structures of the universe, seeking signs of a single cyclical system able to explain the nature of Man's relationship with the cosmos. Vazan, one of Canada's leading exponents of conceptual art – Land Art, in particular – draws, paints, sculpts and photographs planetary space to capture the energy produced by its expansion over the aeons or by human activity over the history of civilization. The artist's work proceeds from an ongoing reflection on existence, and the essential aim of his practice is to interlace in free yet interactive sequences the links and cracks of time and space that explain the state of the universe.

fig. 1 *Canada in Parentheses*, 1969
Paul's Bluff, Prince Edward Island, on August 13, 1969
Photo: Bill Vazan

In 1969, when he put the Canada in parentheses, with the collaboration of the Vancouver artist Ian Wallace – Wallace opening the parentheses in the sand in Vancouver and Vazan closing them at Paul's Bluff, Prince Edward Island (fig. 1) – or when he conceived *Worldline* (1969-1971) – tracing a global line requiring the participation of 25 galleries and museums in eighteen countries worldwide, each marked by an angle corresponding to the continuous mental projection of the physically discontinuous line (fig. 2) – Bill Vazan was already compelling recognition as an "Earth artist". The boundaries of his chosen field are clearly staked out. For although our planetary space remains visually imperceptible as a whole, the scope of its evocative impact is well within the cognitive grasp of the artist, whose entire oeuvre serves to convey its premises.

## A Logical Discourse

In line with the scientific theories that define the universe as a boundless space-time deformed by matter, Bill Vazan rejects the limiting constraints of Euclidian space and shuns the evolutionary character of historical time in favour of a pure cosmic vision. Indeed, it should be noted that the concepts he creates stem largely from his sustained interest in science, particularly in the work of contemporary theoretical physicists. Some of the research speculates on a possible marriage, as it were, between the theory of general relativity – which describes the force of gravity and is usually applied to the largest, most massive structures, such as stars, galaxies, black holes and even the universe itself – and the theory of quantum mechanics, which govern the evolution of the microscopic world, specifically the field of elementary particles. One of the arguments supporting the possibility of a congruent relationship between the two is the existence of invisible, bow-shaped particles called superstrings,[1] which evolve in the infinitely small and are thought to modify the basic structure of space-time with their vibratory interaction, thus opening the door to infinitesimal, secret dimensions of the universe.

fig. 2  Cover of the book documenting the project entitled
*Worldline 1969-1971 | Ligne mondiale*, 1971

These considerations on a space-time that escapes objective three-dimensional perception unquestionably nourish Vazan's reflections on the infinitude of possible energetic relationships apt to govern the topological structure of the universe. Graphically, these relationships translate into configurations, symbols and signs that render their formal fluctuations, their undulating paths and their gravitational forces. In the language of science, they are then described in such vivid terms as "singularity", "membrane" or "mini-universe".

Applied to Bill Vazan's photomontages, this terminology remains fully pertinent, being in logical alignment with the extension and amplification of the structural visions that the artist has been developing for more than twenty years in his *globes* (cat. 3 and 9), *grids* (cat. 12, 13,16, 24 and 26), *quadrants* (cat. 19 and 20), *superstrings* (fig. 3) and *ovals* (cat. 4, 21, 22 and 25). In each case, these are fragmented images composed of photos of distinct space-times juxtaposed in an order that reflects both the phenomenon of retinal persistence and the mental projection of energies gravitating around the matter/subject and asserting themselves as metaphors of the interactive systems that suggest the existence of smaller worlds. Paradoxically, the objects, drawn flat on the photographer's contact sheets, appear to evolve in space as multiple facets that somehow correspond to the undulations caused by the collision of the opposing poles of nature and culture, which, to a certain extent, explain the artist's anthropocentric visions.

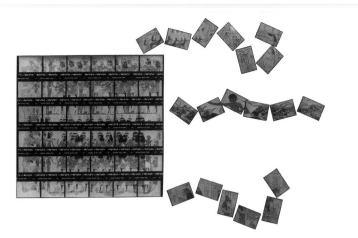

fig.3  *Grid* and *Superstrings* (detail)
Egypt, December 1995

## The Meeting of Two Worlds

In 2000, Bill Vazan conceived a new photowork that brings to light a dialectic relationship between the geographic and cultural realities of Quebec and Egypt – land of water and land of sand, damp environment and desert expanse, the manifest traces of omnipresent natural forces and the memory of a flamboyant civilization – distinct cosmic entities, both of which, to varying degrees, contribute to human mythology. In fact, in Vazan's mind, nature and humanity are profoundly linked, in that the cyclical advancement of the former has always conditioned the activities of the latter. Humans do not master nature, they tame it, they learn from it and through it they generally tend to achieve some level of universal communication. Like the archaeologist, the artist investigates at a remove – the real distance crossed from site to site, the space separating the photographed scene and the photographer's gaze transiting via the mechanics of the camera lens, and the actual temporal gap existing in the matter/subject – scrutinizing the essence of Earth's spaces to identify and isolate signs of this possible dual alliance. Be it through the secret, reformulated topographies of the Quebec landscape or the singularly destabilizing images borrowed from Egyptian history, these photographic itineraries, traced almost simultaneously in obedience to the same creative impulse, form a new paradigmatic component of Vazan's work. By merging their respective finite realities – as much by the jerky, gyratory camera movements, generally rotating around and with the artist, as by the configurations created during the montage – Vazan obliges the viewer to grasp these physically and culturally connoted places as parallel universes that attract each other, move apart or overlap, suggesting the formation of unsuspected cosmological facts.

**The Infinitudes of Photography**

It is here that the magic of the photographic medium comes into play. By and large, photography serves to record the multiple functions and elements that help to define new space-time relationships in images. More precisely, "the photographic image has two main characteristics: on the one hand, it is index, which means that we move with it from a logic of mimesis, of analogy […] to a logic of traces, of contact, of referential contiguity […]; on the other, it is inseparable from the act that gives it being, it is image-act, thus a strike of sorts, a spatial and temporal cross-section".[2] Although infused with scientific thought, the photographs of Bill Vazan proceed first and foremost from an exceptionally powerful perceptive awareness of traces of memory, of the "transhistoric",[3] those traces of passing that permanently maintain the fundamental equilibrium between nature and culture. Hence from photography of essentially documentary function, which he practiced in the 1970s to offset the ephemeral nature of his land pieces, Vazan has moved to using the medium as a creative process able to provide eloquent support for his ceaseless questioning of the finality of time and space relationships. And here he is in line with those who, in all cultures, have sought to decode terrestrial or celestial signs to create their own mental representations of how the world around them works. In the manner of the ancient Sumerians, who deciphered writing in the bird tracks imprinted in the dry bed of the Euphrates, Vazan strives to detect in the matter and in the mythology it has inspired – and still does today – the presence of cosmogonic symbols that maintain the state of uncertainty necessary to the development of his observational images.

fig. 4 *Osiris-Re-dis-membered* (THE FOOT)
One of the 33 fragments of the project, Medinet Habu,
Western Thebes, Egypt, May 1984
Photo: Bill Vazan

## Cosmological Shadows

During a stay in Egypt in 1984, Bill Vazan created *Osiris-Re-dis-menbered* (fig. 4) at the site of the Giza pyramids, the first Land Art project dedicated to Osiris, the anthropomorphic god who was murdered and dismembered, then resuscitated by the wifely piety of Isis, and who, in vanquishing death, bequeathed the promise of immortality to humankind. In summoning up from Earth's entrails one of the great myths responsible for shaping ancient human history – as he again did on his last stay in Egypt, drawing monumental allegorical figures on the mountains of Thebes with stones aligned on the sandy ground (cat. 31-33) – the artist retrieves time. He re-establishes the memory to better reaffirm the ritual filiations between the profane and the sacred, the visible and the non-visible. The figures of the dead being omnipresent in the underground space – protected by their tomb, their sarcophagus, their shroud, their wrappings – their spirit inhabits the work of nature and, by extension, that of humans, who continue to refer to them.

It is easy to understand Bill Vazan's fascination with phenomena such as the huge limestone monoliths that dominate the landscape of the Mingan Archipelago, those age-old geological formations that stand proudly along the North Shore of the Gulf of St. Lawrence (and which Europeans call "pinnacles", a term that in Gothic architecture describes a small finialed, open-work pyramid capping a buttress). As the eroded remains of ancient territories, their anthropomorphic, zoomorphic and architectural profiles appear to conceal traces of the natural and cultural energies that withstand the passing of time. The symbolic aspect of these monolithic structures is, of course, fodder for the artist's imagination. He sublimates it with his images by incorporating nature's ghostly edifices into extraordinary topographies whose contours intimate close connections with the monumental Egyptian funerary constructions (cat. 8). As if outside time, prompted by an accelerated shifting of the tectonic plates, the geographic and cultural particles that in our tridimensional environment are normally perceived as poles apart were synchronically coming together. And as surprising as that may be, these fantastical smaller worlds work perfectly, no doubt due to the ambivalent nature of the mnemonic experience connected to each of their components. That said, it bears noting that although they meet in the "magical thinking" of Bill Vazan, they remain separately suspended, like independent membranes[4] of reality subjected to an effect of gravitation and electromagnetic tension, whose undulating flows apparently serve as both idea conduits and image gatherers.

This particular manner of conceiving our world in multifaceted 2D cosmologies affords the artist free rein in manipulating segments of space and time. As a result, the illusionary hierarchical order inherent to the all-powerful 3D reading gives way to chaos, which "here does not have the philosophical meaning of absolute disorder, formless matter or 'ante structure' reality", but rather "designates a type of determinism confirmed by experience and calculation".[5] A sort of free will engendered by the infinite equation of those parallel universes, which, once revealed, support a utopian historicity commensurate with the legendary, unfulfilled human desire to embrace the universe. Therefore, to create his photomontages, Vazan must necessarily adopt an intuitive, nomadic form of thinking that transgresses established physical and temporal borders. This enables him to conceive imaginary, combinative topologies, usually inspired by mythological tales, and even rituals evoking the synergy that connects humans to the cosmic environment.

In the same way, when Vazan uses his camera to systematically deconstruct the Montmorency Falls area (cat. 2) or, more specifically, to fragment it into thirty-six separate photographic parcels – once more with a circular, sequential movement – which he also does with the awe-inspiring landscape of the Valley of the Kings seen from the summit of Mount Sinai (cat. 6), for instance, it is the spirit of the place that interests him, the unnameable something that defines the ontological nature of a given territory. The "unique place" described by Régis Durand, which "draws our imagination to the confines of the familiar and of reason, there where 'the other side' can be glimpsed".[6] In this sense, formally, the oval and the globe constitute the hallucinatory palimpsests of imaginary, tautological planetary structures. Like concentric mirrors, they reflect back to us, from an elsewhere, the newly visible images of singular topographical events: fantastical star-spangled forms, profiled against the sky, their interstices appearing to contain all the expansive density of the fractions of time and space from which they have emerged.

Whether in the form of simple statements or the result of juxtaposing diverse formulations, Bill Vazan's photomontages (maquettes and wall-sized spreads) invariably demonstrate a perfect balance between the realm of the mind and that of the senses. His systemic science-inspired figures – *membranes* (cat. 11, 17 and 27), *smaller worlds* (cat. 10, 15 and 23), *singularities* (cat. 18), *grids*, etc. – are effectively significant in the creative process, in that as metaphors, they foster the expression of an essentially humanist vision. This convergence of scientific thinking and creative intelligence produces polysemous, figurative ensembles, which, by definition, require the active participation of the viewer, who is necessarily solicited at multiple levels. Thus, for example, in observing the three singularities that form the symbiotic image of the beach at Grande Île (Mingan Archipelago) in association with two views of the desert landscape surrounding the pyramids at Giza (cat. 1), the viewer is inevitably destabilized and disconcerted by the geographical paradox. Yet by mentally uniting these far-flung territories with short space-time curves vanishing into infinity, like visionary flashes of unbridled imagination, Vazan demands of us a perceptive acuity equivalent to the power of the dialectic image itself. "The imagination, that unsurpassed 'constructor', deconstructs continuity only to allow structural 'elective affinities' to better emerge".[7] Rapidly, in anachronistic mode, we must draw on our memory and experience to perceive and analyze these affinities – which Vazan calls "cosmological shadows" – in order to grasp their true semiotic value.

From the ovals that hail Man's constructive genius, skilfully celebrated with rhythmic analogies (cat. 5 and 14), to the membranes that transform the unadorned profiles of the Egyptian pyramids into "mysterious" stone fields (cat. 28) and the membrane and semi-oval that sing the powerful turmoil of Quebec's mighty waters (cat. 7), Bill Vazan's hypothetical smaller worlds – as much by their enigmatic statements as by their vividly evocative power – help to outline new paths that allow us to aspire to this idealistic, all-embracing concept of the universe.

Michel Martin

Notes
1    On this subject, see Michael Duff, "The Theory Formerly Known as Strings", *Scientific American*, vol. 278, no. 2 (February 1998), pp. 64-69.
2    Régis Durand, *Le Temps de l'image* (Paris: La Différence, 1995), p. 74 (trans.).
3    Term borrowed from Georges Didi-Huberman, *Devant le temps* (Paris: Les Éditions de Minuit, 2000), p. 36.
4    In reference to the theory of quantic physics. See Nima Arkani-Hamed, Savas Dimopoulos and Georgi Dvali, "The Universe's Unseen Dimensions", *Scientific American*, vol. 283, no. 2 (August 2000), pp. 62-69.
5    Jean-Claude Lemagny, *Présences*, in *La Matière, l'Ombre, la Fiction*, exhib. cat. (Paris: Nathan/Bibliothèque nationale de France, 1994), unpaginated (trans).
6    Durand (note 2 above), p. 157 (trans.).
7    Didi-Huberman (note 3 above), p. 124 (trans.).

# List of exhibited works

1. **Singularities**
Southeast shore of
Grande Île, Mingan Archipelago,
North Shore, Quebec, August 2000
Giza Pyramids, Egypt. December 2000
Chromogenic development prints
33.75 x 50 cm (x 20)
50 x 33.75 cm (x 36)

2. **Oval**
Montmorency Falls,
Beauport, Quebec, August 2000
Chromogenic development prints
40 x 60 cm (x 36)

3. **Globe**
Quebec City Bridge,
Quebec, August 2000
Chromogenic development prints
50.8 x 40.5 cm

4. **Oval (Bikers' Rest)**
Ouareau River Rapids,
near Rawdon, Quebec, October 2000
Chromogenic development prints
80 x 100 cm

5. **Oval**
Kom Ombo Temple, north
of Aswan, Egypt, December 2000
Chromogenic development prints
100 x 80 cm

6. **Oval (Siting Osiris) / Membrane**
Valley of the Kings,
Theban mountains, Egypt,
December 2000
Bas-relief representing the exploits of
Ramses II, Abu Simbel Temple, Egypt,
December 2000
Chromogenic development prints
33.75 x 50 cm (x 58)

7. **Membrane / Half-Oval**
Manitou Falls, North Shore,
Quebec, August 2000
Mingan River Falls, North Shore,
Quebec. August 2000
Chromogenic development prints
33.75 x 50 cm (x 36)

8. **Grid** (extended) / **Membranes**
"The Castle," Grande Île,
Mingan Archipelago, North Shore,
Quebec. August 2000
Ceiling in the passageway
to the tomb of Ramses VI, Valley
of the Kings, Western Thebes,
Egypt, December 2000
Bas-relief in the tomb of
Ramose, Western Thebes,
Egypt, December 2000
Chromogenic development prints,
of which 37 from black and white
negatives
20 x 30 cm (x 37)
20 x 25 cm (x 30)

9. **Globe**
Mingan River Falls, North Shore,
Quebec, August 2000
Chromogenic development prints
from black and white negatives
50.8 x 40.5 cm

10. **Smaller World**
Path to the top of Cap Trinité,
Rivière-Éternité, Saguenay, Quebec,
August 2000
Birch strangling a granite boulder,
Saguenay, Quebec, August 2000
Chromogenic development prints
from black and white negatives
61 x 48.3 cm

11. **Membrane**
Chaudière Falls, Charny, Quebec,
August 2000
Chromogenic development prints
58.5 x 101.6 cm

12. **Grid**
Leaving Baie-Comeau, North Shore,
Quebec, August 2000
Chromogenic development prints
from black and white negatives
61 x 48.3 cm

13. **Grids**
Crane at the intersection of
Notre-Dame and Pie IX, Montreal,
Quebec, September 2000
Grain elevators in the Old Port,
Montreal, Quebec, September 2000
Chromogenic development prints
from black and white negatives
61 x 48.3 cm

14. **Oval**
Jacques Cartier Bridge, Montreal,
Quebec, September 2000
Chromogenic development prints
100 X 80 cm

15. **Smaller World**
Quarry Island, Mingan Archipelago,
North Shore, Quebec, August 2000
Chromogenic development prints
61 x 48.3 cm

16. **Grid**
Ouareau Rapids, near Rawdon,
Quebec, October 2000
Chromogenic development prints
from black and white negatives
58.5 x 81.4 cm

17. **Membranes**
Quarry Island, Mingan Archipelago,
North Shore, Quebec, August 2000
Chromogenic development prints
58.5 x 101.6 cm

18. **Singularities**
Sphinx, in front of the Pyramids,
Giza, Egypt, December 2000
Muslim cemetery, Giza, Egypt.
December 2000
Chromogenic development prints
58.5 x 101.6 cm

19. **Quadrant**
*In the Kiosk of Trajan, Temple of*
*Philae, Agilika Island, Egypt,*
*December 2000*
Chromogenic development prints
48.3 x 61 cm

20. **Quadrant**
*In the Great Hypostyle Hall,*
*Abu Simbel Temple, Egypt*
*(eight 10-meter statues of Ramses II;*
*on the ceiling: painted vultures repre-*
*senting Osiris), December 2000*
Chromogenic development prints
from black and white negatives
48.3 x 61 cm

21. **Oval**
*Interior of the Temple of Hathor,*
*Dendara, Egypt, January 2001*
Chromogenic development prints
43.2 x 50.8 cm

22. **Oval**
*Atop Mount Sinai, Egypt,*
*January 8, 2001*
Chromogenic development prints
43.2 x 50.8 cm

23. **Smaller World**
*Abu Simbel Temple, Egypt,*
*December 2000*
*Temple of Hathor, Dendara, Egypt.*
*December 2000*
Chromogenic development prints
61 x 48.3 cm

24. **Grid**
*Coptic mural, Arabic writing, graffiti*
*and drawings of feluccas,*
*Tombs of the Nobles, Aswan,*
*Egypt, December 2000*
Chromogenic development prints
40.5 x 50.8 cm

25. **Oval**
*Muslim cemetery, Giza, Egypt,*
*December 2000*
Chromogenic development prints
43.2 x 50.8 cm

26. **Grid** (chaos)
*Interior and exterior of the entrance-*
*way to Al-Azhar Mosque, Cairo,*
*Egypt, December 2000*
Chromogenic development prints
from black and white negatives
61 x 76.2 cm

27. **Membranes** (jeux d'ombres)
*Hypostyle Hall (Zoser's step pyramid*
*in the background), Saqqara, Egypt,*
*December 2000*
Chromogenic development prints
58.5 x 81.4 cm

28. **Membranes**
*Chephren Pyramid, south face,*
*Giza, Egypt, January 2001*
*Cheops Pyramid, north face,*
*Giza, Egypt, January 2001*
Chromogenic development prints
58.5 x 101.6 cm

29. **Still Stands**
Land Art work made on Quarry
Island, Mingan Archipelago,
North Shore, Quebec, August 2000
Ilfochrome
118.7 x 144 cm

30. **Stand for a Parallel World**
Land Art work made on Quarry
Island, Mingan Archipelago,
North Shore, Quebec, August 2000
Ilfochrome
118.7 x 144

31. **Cobra Stand for a Parallel**
**World**
Land Art work made in the Theban
mountains, Egypt, January 2001
Ilfochrome
179 x 138.7 cm

32. **Extremists Attack?!**
**(Eye of Horus)**
Land Art work made in
the Theban mountains, Egypt,
January 2001
Lambda print
148.7 x 172 cm

33. **Scorpion at Base of Mount**
**Sinai**
Land Art work made in Egypt,
January 2001
Lambda print
179 x 138.7 cm

On the back cover: Bill Vazan at the summit
of Mount Sinai, and on a ridge in the Theban
mountains with *Cobra Stand for a Parallel
World* in the background. Egypt, 2001
Photos: Jeff C. Hipfner